别让伤害靠近你

教孩子辨别、远离隐性伤害

不！我不喜欢被你碰

遇到身体侵害怎么办？

李凯琳　著　　未来之音　绘

中信出版集团｜北京

写在前面的话

除了霸凌行为，孩子们在校园中还可能遇到其他的危险，比如针对幼童的性侵害。这样的行为已经超越了一般的暴力，是严重的犯罪行为，如果不能避免或者及时发现，它会对孩子的身心产生极其深重的伤害。为了预防性侵害，儿童和成人都需要对侵害行为有足够的了解，能敏锐识别，并及时合理地去应对。

因此，儿童也需要得到适当的性教育，建立起保护身体安全的意识，要能够辨别恶意的接触和危险的环境，能够及时将遇到的问题向家长倾诉，以避免潜在的伤害。

本书既适合孩子自己阅读，也适合家长读给孩子听。阅读本书时，可以与孩子进行轻松的沟通，引导他们说说自己的理解：什么样的行为是性侵害行为？应该如何预防这样的侵害？遇到侵害时要怎样保护自己？

又是周一了。

我背着书包，被妈妈催着出了家门，可是我一点儿都不想去上学。

一想到新来的体育老师——克莱姆先生，我的心就像一块石头一样沉重。

我不是不喜欢体育课，我只是害怕克莱姆先生。

他让我感觉，他像是在等着我来上课，然后想方设法地找到机会来靠近我，找我的麻烦。

看，他来了，脖子上挂着一个亮闪闪的哨子。“开始跑步！”

他故意大声喊我的名字。“我看着你呢，托尼，小可爱，准备好挨罚了吗？”

他咧开一张大嘴，露出了吓人的白牙。

“嘿，快跑，”安迪扑扇着翅膀从身边跑过，小声说，“你跑快点儿，他就不会总罚你啦。”

我努力加快了脚步，跑得上气不接下气。

“嘟嘟——”哨子响了！我觉得背上的每一根毛都竖了起来。完了！我又跑了最后一名！

他朝我走过来了，我好想哭，我好害怕！

他的大手抓住了我的领子，我叫了起来，连踢带踹。可是没有用，我的身体被拎起来了！

“小宝贝，瞧瞧你的腿，它在发抖呢！”克莱姆先生带着坏笑，悄悄地用另一只手在我身上慢慢地摸来摸去，我真的很不喜欢这种感觉！

有时候，一些加害者会在别人不注意的时候做出带有侵犯意味的小动作，包括触摸私处，不怀好意地抚摸身体，说与性有关的话以及暴露自己的私处，等等。如果他人的碰触让你感到不愉快、不理解或者不舒服，你要知道，这种行为是必须制止的。

“放开我！”我哭起来，“为什么总是我！”他的力气很大，我根本没有办法挣脱。他又捏了一下我的屁股，用很凶的声音说道：“跑得这么慢，我要让你脱掉裤子，光着屁股跑！”同学们哈哈大笑起来。说完，他让同学们自由活动，却把我带到存放体育用品的小房间门口，推了一下说：“进去，不许出声！”

很多时候，身体上的侵害就发生在那些隐秘的地方，比如仓库、无人的角落、厕所、私人房间等。加害者往往会用暴力、恐吓或者自己的权威身份让受害者乖乖听话，按他们的要求前去隐秘而危险的地方！

克莱姆先生的手放在了我的裤带上，我好害怕。我才不要光着屁股跑步。

就在这个时候，安妮塔和菲尔德大叫着跑了过来。“克莱姆老师，安迪撞到了大树上，他的头流血啦！”

克莱姆先生把手拿开，扭头气呼呼地走了出去，我松了一大口气。

他到底要做什么？

我有点儿害怕，我真的不喜欢这样！

终于下课了。

我逃跑一样回到了教室里，满脑子都是克莱姆先生的眼神和大白牙。这一天老师讲的东西，我一点儿都不想听，我只想回家，再也不想来上学了。

“妈妈，我怕，我不想上学了。”我在心里重复了一百次这句话。但是，当妈妈问我“今天过得怎么样”的时候，我还是低声回答说：“很好啊。”

洗澡的时候，我脱下衣服，突然想起了克莱姆先生触摸我身体的事情和他的表情，开始不自觉地发抖。

妈妈停下帮我擦背的手，轻轻地摸了摸我的头。

“托尼，”她说，“你最近越来越不开心了，也不和爸爸妈妈说你在学校的事情，到底怎么了？”我低下了头。

“亲爱的，”妈妈温和地看着我，“不管是什么事情，都可以说出来。妈妈一定会帮你的。”

妈妈会帮我？跑步被老师罚，妈妈也会帮我吗？

妈妈会不会说我笨，或者怪我训练不认真？她会相信我吗？如果我说老师对我很不好，她会怎么想？

但是，看着妈妈认真温柔的眼神，我的眼泪忍不住掉下来了。我真的很委屈，很害怕！我决定告诉妈妈，我有多么讨厌克莱姆先生带给我的那种感觉。

很多时候，轻松平等的沟通环境，以及从孩子的角度出发给他们信赖和安全感的家庭氛围，是让孩子和家长有效交流的关键。只有充分信任家长与自己的关系，孩子才敢于说出自己的经历和困惑。

妈妈听我讲了最近发生的事情，她的眼睛越睁越大，表情变得严肃起来，但是并没有一点儿责怪我的意思。她认真地听着，详细地问了克莱姆先生都做过什么，和我说过什么。我毫无保留地告诉了妈妈，包括克莱姆先生捏我的屁股，还要罚我脱掉裤子的事情。

“他为什么要这样对我，是我做得不好吗，妈妈？”

“你没有做错什么，”她皱着眉头说，“这个克莱姆先生的行为很不正常，他不能以任何理由像那样对待你。”

妈妈也认为是克莱姆先生有问题！

“托尼，我真的很高兴，你能告诉我这些事情，”妈妈说，“我会站在你这边的，我要去向学校举报克莱姆的所作所为。不过，现在更重要的是，我必须教你一些保护自己的方法。”

我飞快地点点头。

妈妈告诉我，每个人的身体都是属于自己的，不能让任何人侵犯。无论是男孩还是女孩，身体穿着泳衣的部分都是自己的私处，除了医生做必要的检查和家人帮我洗澡穿衣，任何人都不能随便去看、去摸。当然，让我脱下衣服露出身体就更不可以了。

难怪克莱姆先生的话和动作会让我感到不舒服，他这么做就是在侵犯我的身体！

“但他是老师，我不敢不听话啊！”

妈妈说：“老师也好，其他的大人也好，他们都有可能犯错。如果他们提出了让你感觉不舒服的要求，你可以大声地告诉他们‘不行’，然后立刻离开，到安全的地方去。

“你现在还小，和很多同学在一起会比较安全，千万不可以独自一人跟着别人去偏僻陌生的地方。发生任何事情，都要第一时间告诉爸爸妈妈和你信任的老师。”

“可是，我不想大家都知道这件事，怎么办？”

“托尼，这不是你的错，不要因此而害怕。”妈妈说，“如果克莱姆先生再来找你，不要理他，也不要怕他，只要待在同学们中间，你就是安全的。”

“好的。”我点点头，“放学我会和同学们一起走。可是……下星期的体育课怎么办？”

“放心，”妈妈抱住我，轻轻摸了摸我的头，“我这就给你们的班主任和校长打电话，不会让这种事再发生了。”

爸爸妈妈是孩子最值得信任的保护伞，无论发生什么事情，他们都会坚定地和孩子站在一起。

第二天在学校，我小心地躲开了克莱姆先生。第三天，第四天……整个星期都很顺利！

又到了星期一，老实说，我心里还是很害怕！我对安妮塔、安迪和菲尔德说了这件事。

“我早就觉得克莱姆先生对你不太正常。”安妮塔说，“不要怕，我们会一直和你在一起。”

安妮塔也知道那是“不正常”的！他们都支持我，同意帮我躲开克莱姆先生。

这一次，当克莱姆先生又来到我面前的时候，我不怕他了。当他又要向我伸出手的时候，我大声对他说：“不！别碰我！”他愣了一下，好像不敢相信自己的耳朵。这时候我的好朋友们一起来到我身边，我们手拉手站在一起，他眯着眼睛看着我们，挥了挥手让我们接着跑。

一个人影出现在操场边上，是校长，她在远远地望着我们。没错，妈妈给她打了电话，她答应会关注这件事情，让我们在学校里的每一天都绝对安全。

猥亵和侵犯儿童不是小问题，是严重的犯罪行为，如果发现身边有这样的事情，一定要告诉家长和警察，让犯罪分子得到应有的惩罚。

过了几天，在我们放学的时候，一辆警车停在了校门口。

我们惊讶地看到，两个警官带着克莱姆先生从学校里走出来，克莱姆先生低着头，夹着尾巴，灰溜溜地钻进了警车。听说，他在之前的学校也对其他孩子做了一些不好的事情。

从那以后，我们再也没有见过他。

现在我已经知道了怎样保护自己的身体，知道了什么是侵害和怎样说“不”，上学又变成一件安全又愉快的事情了！

关于身体侵害你必须知道的事

• 有时候，一些加害者会在别人不注意的时候做出带有侵犯意味的小动作，包括触摸私处，不怀好意地抚摸身体，说与性有关的话以及暴露自己的私处，等等。如果他人的碰触让你感到不愉快、不理解或者不舒服，你要知道，这种行为是必须制止的。

• 很多时候，身体上的侵害就发生在那些隐秘的地方，比如仓库、无人的角落、厕所、私人房间等。加害者往往会用暴力、恐吓或者自己的权威身份让受害者乖乖听话，按他们的要求前去隐秘而危险的地方！

• 很多时候，轻松平等的沟通环境，以及从孩子的角度出发给他们信赖和安全感的家庭氛围，是让孩子和家长有效交流的关键。只有充分信任家长与自己的关系，孩子才敢于说出自己的经历和困惑。

• 爸爸妈妈是孩子最值得信任的保护伞，无论发生什么事情，他们都会坚定地和孩子站在一起。

• 猥亵和侵犯儿童不是小问题，是严重的犯罪行为，如果发现身边有这样的事情，一定要告诉家长和警察，让犯罪分子得到应有的惩罚。

亲爱的小朋友，如果你读完这本书，怀疑或者发现自己遇到了身体侵害，一定要及时告诉爸爸妈妈。爸爸妈妈是最爱你的人，他们会全力帮助你，做你最温暖的港湾和最坚强的后盾。

图书在版编目（CIP）数据

不！我不喜欢被你碰：遇到身体侵害怎么办？/ 李凯琳著；未来之音绘 . -- 北京：中信出版社，2018.8（2024.4 重印）
（别让伤害靠近你：教孩子辨别、远离隐性伤害）
ISBN 978-7-5086-8573-1

Ⅰ . ①不… Ⅱ . ①李… ②未… Ⅲ . ①儿童故事－图画故事－中国－当代 Ⅳ . ① I287.8

中国版本图书馆 CIP 数据核字（2018）第 021024 号

不！我不喜欢被你碰：遇到身体侵害怎么办？
（别让伤害靠近你：教孩子辨别、远离隐性伤害）

著　　者：李凯琳
绘　　者：未来之音
出版发行：中信出版集团股份有限公司
（北京市朝阳区东三环北路27号嘉铭中心　邮编　100020）
承 印 者：当纳利（广东）印务有限公司

开　　本：500mm × 965mm　1/16　　印　　张：2　　字　　数：30千字
版　　次：2018年8月第1版　　印　　次：2024年4月第19次印刷
书　　号：ISBN 978-7-5086-8573-1
定　　价：35.00元

出　　品：中信儿童书店
图书策划：小飞马童书
策划编辑：白雪
责任编辑：温慧
营　　销：中信童书营销中心
封面设计：韩莹莹　谢佳静
内文排版：李艳芝